따듯하다라는 말을

가장 많이 배설하는 때,

겨울 그 이야기

따듯하다라는 말을 가장 많이 배설하는 때,
겨울 그 이야기

발 행 | 2024년 01월 23일
저 자 | 치노
펴낸이 | 한건희
펴낸곳 | 주식회사 부크크
출판사등록 | 2014.07.15.(제2014-16호)
주 소 | 서울시 금천구 가산디지털1로 119,SK트윈타워 A동 305호
전 화 | 1670-8316
이메일 | info@bookk.co.kr

ISBN | 979-11-410-6810-3

www.bookk.co.kr

따듯하다라는 말을

가장 많이 배설하는 때,

겨울 그 이야기

치노

목차

이 시간, 이 계절 · 좌절 · 흑백의 설경 · 잠 못들던 새벽 · 회자정리 거자필반 · 평일오후 · 시차 · 자문자답 · 투덥 · 모양

힘플라스크 · 힘플라스크2 · 종이비행기 · 종이비행기2 · 부치지 못한 편지 · 부치지 못한 편지2

시원하다라는 말을

가장 많이하는 여름과

따듯하다라는 말을

가장 많이하는 겨울

그 사이, 어딘가 어느 시점에

현실에서 살아가다

이상을 꿈꾸는 나와

이상을 살아가다

현실을 탐구하는 내가

서있다.

시간

의미 없이 보내는 시간이
실은 가장 빠르게 지나간다.

시간을 알차게 보낼 때
빠르게 가던 시간은
어느새 뉘엿뉘엿 흐르게 되고

아무것도 하지 않은 시간이
너무 빠르게 되돌아온다.

벌써 낙엽이 지니까

실연

앞으로 몇 번의 실연을
더 경험하게 될지는 모르겠지만

이제는 실연을 당해도
그 때 만큼
아프지 않으리라는 것을
알고 있다.

엉켜버린

그녀가 달려온다
대뜸 목 뒤에
엉켜있는 실 묶음을 풀어 달라 한다.

꼼지락꼼지락
그냥 가위로 잘라 버리자고 하자
당신답지 않게 화를 내며 단호하게 거절한다.

또 다시 꼼지락꼼지락

깨닫는다. 난 그녀의
뒤엉켜있는 실 묶음을
풀어내기 위해 태어났음을

홋카이도행 비행기

좋아하는 영화는
수십번을 되돌려봐도 지겹지 않습니다.

수 번과 수십번의 사이
더 많은 사람들과의 이야기
어줍잖은 독서로 조금은 채워진 감성

그 이후에 보는 영화는
처음 봤을때와는 또 다른 결말을 열어주니까요.

그래서 열린결말의 영화를 더 좋아하나 봅니다.

이와이 순지 감독의 영화를 좋아합니다.
그 중 으뜸은 당신의 예상대로 <러브레터>입니다.

독립을 한 이후 lp를 하나씩 모으고 있습니다.
당연히 러브레터 OST lp도 한 장 구했습니다.

잔잔하게 돌아가는 음악을 보면
갑자기 홋카이도에 가고 싶어지곤 합니다.

지난 겨울, 그렇게 신치토세행 비행기에 몸을 실었습니
다.
영화 속 그곳을 직접 느껴보기 위해서
잔잔하게 돌아가는 lp판을 직접 경험하기 위해서

이상하리만큼
주변 이성에게 신경 쓰이는 요즘

친구들 사이에서도
모임 사이에서도
하물며 지난 날 그 아이까지

스스로 이상한,
절대 없을 일을 상상하지 말자 해놓고

아직도 그 늪에서 헤어나오지 못하는 나

오랜만에 서교동으로 나섰다.
가장 좋아하는 카페.

퇴사하면 일본여행이나 다녀 와야할까

눈소리

새벽
소복소복 한 밤중부터 계속해서 쌓이는 눈소리
잠결에 들리는 당신의 발소리

이상하네
이 늦은 시간에
아니, 그에 앞서
당신이 올 사람이 결코 아닌데

이 환청은 당신의 바람인가
나의 바람인가

눈의 바람인가
겨울의 바람인가

이츠키

<러브레터> 영화 이야기를 조금 더 해보고자 합니다.

오겡끼데스까 라는 대사 하나만을 알고 러브레터를 처음
봤던 그 날이 생각 납니다.

주인공의 1인 2역도 알지 못하고 처음 영화를 보며 혼란
스러워하며 초반부를 생각없이 봤던 기억이 나요,
중반부부터 아차 싶으면서 이제야 초반부 이해되지 않던
편린 몇 조각이 맞춰집니다.

사랑을 잊지 못하는 여자와
사랑을 잊어버린 여자의 이야기

영화를 볼 때마다 해석이 분분해 집니다.
이츠키는 히로코를 사랑했던 걸까요?
이츠키를 잊지 못한 것일까요?

이츠키를 잊고 히로코를 사랑하게 된걸까요?
이츠키를 잊지 못하고 히로코를 투영 했던 것일까요?

진정 사랑했던 여자를
다른 사랑으로 잊을 수 있게 될까요?

아니면 단지
사랑했던 여자와 비슷한 여자여야 하는걸까요?

이 질문의 끝에 홋카이도로 떠났던 것 같습니다.

따듯하다

겨울이 되면 취미활동의 범위가 줄어듭니다.

평소라면 몇 십롤의 필름을 현상했을 작디 작은 카메라에 조금의 먼지가 쌓이게 되고
평소라면 쳐다도 보지 않을 캐리어를 배낭 대신 대체재로 생각하기도 합니다.
평소라면 가볍게 밟을 페달도 찬 바람에 방한용품을 하나 둘 챙기다 보면 몇 달 방치 된 바퀴는 바람이 빠져있곤 합니다.
평소라면 챙기지 않을 동계용 텐트도 어깨를 짓누르는 하나의 흉기가 되기도 하죠.

다만, 범위는 줄어들 뿐, 깊이는 깊어집니다.
평소라면 얼음이 다 녹을 때 까지 줄어들지 않던 아메리카노가 그 산미를 더욱 더 내뿜게 되기도 하고
평소라면 읽지도 못할 흉기로도 쓰일만한 두께의 책이 그 먼지를 털어내고 수 백 페이지를 넘기게 되기도 합니

다.

평소라면 더위를 탓하며 마시지 않던 국화차도 그 향을
서서히 내뿜으며 몇 번이고 우려 질만큼
입 속을 국화 향으로 채우게 되기도 하지요.

깊은 밤, 서랍 한 구석에서 먼지가 쌓이지도 못한 채 봉
인되어있는 빔 프로젝터가 세상 밖으로 나와
왕가위, 이와이 슌지의 영상을 방 한 쪽 벽을 채워주기도
합니다.

이 밤, 따듯하다 라는 말이 가장 잘 어울리는 밤
겨울 밤은 깊어져 갑니다.

전부 흑백사진이다

여행지에서는
특히
외국여행에서는 잠시 내려놓는 철학
'뮤직이즈마이라이프'

여기저기서 들려오는
알아듣지 못하는 언어를 BGM 삼아
셔터를 연신 눌러댄다.

삿포로에 도착한 날
며칠전에 눈이 내렸는지 도시 곳곳 눈의 흔적이 남아있
다.
알아듣지 못할 BGM에서
지난날의 BGM이 흘려온다.

언젠가 당신이 내 옆에 있을 때
손을 호호 불며 내 주머니에 손을 넣으며 했던 말.

'니가 찍은 설경 사진은 흑백필름으로 할 때 더 잘 나와'
그 때부터 인가
더 이상 당신이 내 주머니에 손을 넣지 않게 되었어도

여름 보다는 겨울에
더울 때 보다는 지금처럼 추울 때

컬러필름 보다는 흑백필름을 더 많이 챙겨
나서는 겨울이 많아졌다.

그래서 삿포로의 사진은

단풍

꽃이 진다
낙엽이 진다.

아니, 실은 이미 졌다.
내 집, 거실 한 구석에
좋아하지는 않는 다 마신 와인 병에 몇 송이

아니, 실은 이미지지 않았다.
내 방, 책장 한 곳에
자리잡은 몇 권의 책 속에
책갈피로 조용히 앉아있는 단풍 몇 가닥

이 겨울, 지금만 지난다면
이 꽃들과 단풍은

또 다음 겨울까지
그 자리를 지킬 것이다.

시간이 지날수록
가치 있어질테니까

추억이라기엔 가볍고

기억이라기엔 의미있는

글과 사진

구겨진 편지

그 날을 끝내 잊지 못합니다.
제 평생 잊지 못할 수도 있을 듯 합니다.

끝내 한 가지
후회됩니다.

한 가지지만, 당신 옆에 있던
그 세월 내내 해주지 못한
그 한가지가 끝내 마음에 걸려

당신을 계속 쓰는 지금도
당신을 쓰는 이유입니다.

스스로를 너무 탓하지 마요.
그럼 내가 너무 초라해져요.

당신을 마음에 두었다는 걸

그 한 가지는 후회하지 않습니다.

가장 큰 아픔을 겪었으되,
그 말은 가장 큰 사랑을 해보았다. 라는 반증이니까

다만, 한 가지
그게 끝끝내 마음에 걸립니다.

캄캄한 바다

우리가 함께 거닐던 바다 사진을 본다.

사진 바깥세상에서
당신은 나를 향해 묻는다.

캄캄한 바다를 찍는다고
무슨 사진이 나오겠느냐고

이 사진을 보는 나는 대답한다.
당신의 물음이 몇 해째 남았다고..

사진 속 캄캄한 바다는 그대로인데
없어진건 왜 그 날의 우리인가

다음 생애는 바다로 태어 날 것이다.
캄캄한 사진 속 바다로 태어나길 소망한다.

그럼에도 기록하는 까닭

앨범을 펼치기 전의 각오
그 비스무리 한 것.

사진을 꺼내기 전의 각오
그 간절함 비스무리 한 것.

옛 편지를 읽기 전의 각오
그 그리움 비스무리 한 것.

모든걸 제 손으로 손수
다 태우던 날

그 모든 각오를 다지고, 집에 돌아온 날.
겨울이었다.

굳이 그 모든 걸 태우지 않아도
무엇이라도 태워 모닥불을 긴 밤까지 이어가야 했던

겨울 밤.

그 모든 걸 태우고 겨울 밤을 홀로 지내고
집으로 돌아온 날

잠시 잊고 살았다.
여러 책의 책갈피가 그대로 남아있음을

망각의 죄는 각오라는
갑옷을 걸치지 않은
내 몸, 내 마음에
상처내며 새겨졌다.

그렇게 또 사진과 글에게서
상처 받은 밤

늦은 비

아침, 늦은 아침
빗소리에 깼다.

가스비가 두려워 전기매트를 켜놓고 자게 된지 며칠 째
이불 밖은 위험해 라는 말처럼

정신은 깨었지만 눈꺼풀은 깨어나지 못한 채
이불 속 엉겨붙은 늦은 아침

기억 속 예보는 오후부터 비가 온다고 했던거 같은데
늦은 시간까지 늦잠을 잔 것일까?
늘 그렇듯 빗나간 예보의 장난 인 것일까?

조금 더 그대로 있기로 했다.
잠은 오지 않지만 이불 밖은 위험하니까

일어나 커피 물을 끓이고

그라인더를 돌리고
필터를 젖히다 보면 비가 그칠까

전날 먹다 남은 스파게티 면이 남아
커피와 함께 대충 끼니를 때워도

빗줄기는 제법 더 굵어진다.
커피를 한 잔 더 내리면
이 비가 그칠까

그랬으면 싶다

햇살이 피부에 기어오른다
발끝부터 손등까지
기어 올라온다.

밤공기의 그 느낌과는
또 다른 느낌

허공에서 무수히 많은 공기를
통과하여 기어오르는 햇살을 보다보면
바깥 세상의 따스함을 느낄 수 있다.

따스할 것이다.
이 따스함이 그대의 손길까지 가는 것인지
그것은 알 수 없겠지만 서도

31

동백꽃

낙화할 때
비로소 향을 내는 꽃들이 있다.

자신의 모든 것을 바치고
짐으로 세상에 자기 존재를 말하는

그것들을 꽃이라 칭하는 나로서는
세상 모든 내음을 경험해보고 싶은
불합리한 꿈을 꾸어본다.

그 모든 내음중에는
잘 가꾸워진 꽃집의 꽃보다는
들 속에 아무렇게나 핀
그런 꽃들중 으뜸이 되는 그런 내음을 맡아가며
살아가 보고 싶다.

낡은 서랍

낡아가는 것들과
함께 낡아가기

시간이 지남으로서
더욱 더 가치있게
되는 것들처럼

시간이 지나감으로
지금보다 더 성숙해 지고싶다.

그 때쯤이면
성숙하다라는 단어의 뜻을 이해할 수 있을까

현재가 되지 못할 시간

기억이 되지 못한 시간과
현재가 되지 못하는 시간

그 흐르는 시간 속
나는 어딘가에서 방황하고 있다.

여기가 어디인지는 모르겠으나
분명 한 것은
그 시간 속 어딘 가에서
방황하는 것

그 하나만이 분명한 사실임을 알 수 있다.

눈 그리고 수평선

전날 밤
삿포로 한 가운데에서 대관람차를 타고
바에 들어가 몇 잔 마신 기억이 있다.

알아 듣지 못할 바텐더의 일어와
내 핸드폰의 번역기는 쉴새없이 번갈아 이야기를 나누었
던 기억

다행히 취중에도 알람은 맞췄었나보다
오타루행 전철을 타야할 시간에 맞춰진 알람에 따라 몸
을 움직였다.
숙소 밖 창문을 보니 예보대로 눈은 더 오지 않은 것 같
다. 다행이다 싶으면서도 아쉬운 마음이 드는건 어쩔수
없다.

아쉬움 반, 다행스럽다 반
술에 쩐 몸덩어리에 사진기와 배낭을 메고 전철을 탄다.

얼마 안가 나는 지금 여행자 라는 사실을 깨닫는다.
누군가에게는 일상이되는 출근길 전철

남몰래 홀로 뿌듯함을 느껴본다.
어느 역에서 사람들이 우르르 내리고
한 아주머니가 내 앞 좌석에 앉아 책을 꺼낸다.

물론, 일본어를 전혀 알지 못하는 나로서는
그게 무슨 책인지 알 수는 없었다.

일본 책은 종서로 되어있음을 어디선가 들은적이 있다.
언어는 알 수는 없지만
언어의 배열은 알 수 있으니까
강남으로 출근하던 몇 개월, 지옥철에서 끝내 책을 놓지
않았던 그 때의 나를 잠시 떠올려본다.

누군가에게 지옥철이 되는 일상이
내게는 누구나 꿈꾸는 여행이 되는 시간

나의 지루한 일상도
누군가에게는 여행자의 삶을 살아가는 시간이 되겠구나
싶었다.

창 밖으로 새하얀 눈이 덮인 바다가 보인다.
이 날의 바다를 평생 잊을 수 없겠다라고
생각하며 숙취에 잠시 눈이 감긴다.

초록색 양말

이상한 사람을 보았다.
카페에 앉아 커피를 주문 한 뒤
제 자리에 앉아 가만히 눈을 감는 자.

주문한 커피가 나오고
몇 모금 마신 뒤
제 짐은 자리에 두고
겉옷을 찾아 밖에 나서는 이.

한 대 태우고 오려나 보다
대수롭지 않게 생각하고
책 페이지를 펴 몇 문장 읽다
문득 밖을 보니

그 한 사내는 신발을 벗어 잘 정리하고
자세를 고쳐 앉고 뒷모습만 보인다.

내 자리에서 얼굴이 보이지 않지만
분명, 눈을 감고 있으리라 짐작해 본다.

유난히 신경 쓰이는 이상한 사람.
다시 내 시선을 책으로 돌린다.

"실내에서는 자주 눈을 감고 따뜻한 해안의 출렁이는 물
결을 떠 올리기"

분명 저 이도 이 책의 글귀처럼
어디에선가에 바다를 떠올림이 틀림없다.

유난히 그의 초록색 양말에 시선이 간다.
마치 푸른 숲에서 바다를 보는 자의 시선처럼.

아무 생각이 없지만

아무 생각이 없지는 않다.

그저 바라보고 싶다

눈이 펑펑 오는 날
온돌이 있는 시골 집에서
읽고 싶었던 책을 옆에 두고
커피를 내리며 섬진강을 바라보고 싶다.

그런 사진이 있었다

언제였지
사진을 찍는 자가 되었다.

사진을 찍는 자가 되고자 마음 먹었다.
그리고 전역 후 사진기를 샀고
스물 서넛 쯤에
앞으로 내 모든 시선을 필름으로 담고자 마음 먹었다.

지금껏 꽤 많은 셔터를 눌렀다.
135필름으로, 120필름으로, 폴라로이드 필름으로, 인스탁
스 필름으로

마음에 드는 사진도
의미없이 찍은 사진도
버리지 못한 사진도
태워버린 사진도 적지 않다. (난 함부로 사진을 버리는
사람이 아니다.)

남겨진 사진 한 장의 쓰임새는
그저 눈물 뿐임을 알기 때문에

그런 사진이 있다.
사진 한 장으로
수 백가지의 이야기를 담은 그런 사진.

사진을 처음 시작했을 때
그런 사진을 하고 싶었다.

사진을 찍는 자가 아닌,
사진을 하는 자로 남고싶었다.

그런 사진을 찍은 지금에서야 깨닫게 된다.

결국 사진을 찍는 이도,
사진을 하는 이도

결국은 사람이라고
사람의 이야기라고

게을러져버린

이전보다 커피를 제대로 느낄 수 없게 되었다.

커피가 남기는 텁텁한 느낌
프림커피가 아닌데도 입 안이 무거워진다.

최근 스스로 생각해도
패턴이 많이 바뀌었다.

애써 현실을 외면한 채
더 비싼 원두를 찾게 된다.

오타루

오타루는 생각보다
내가 생각했던 것. 그 이상으로
많은 이들에게 영향을 준 마을이다.

도시라고 명명하기에는 조금은 소박한
시골이라고 하기에는 그래도 인지도는 있는
그런 마을

오타루를 거닐던 겨울이 생각난다.
가난한 배낭여행자의 컨셉으로
함박눈이 오던 때가 아닌, 눈이 아직 녹지 않았던
그 찰나에 방문했던 곳

그 소박한 마을을 이야기 해보고자 한다.

미나미오타루역

걸었다
도망치기 위해
누구를 피해서?
무엇으로부터??

걷는다
아직은 식사를 할 수 있는 식당이 없어
시간을 보내기 위해

걷다가 깨닫는다
너무 늦은 깨달음이라는 것을
깨닫는다

나는 이제
당신을 만나기 이전으로는
되돌아 갈 수 없을 것이라고

울보

첫사랑과 추억을 담아낸 드라마
최근 며칠 한 드라마를 봤다.

아주 오랜만에 눈물 흘리며

힘들 때는
정신없게 눈물 흘리도록 웃는 방법도 좋지만
대개 나는 눈물 흘리며 우는 방법을 선호한다.

울고 싶어도 울지 못하는 때가
더 많겠지만

담벼락

바다가 보이지 않는 곳에서
바다 향기가 난다.

아직은 등이 젖을만한 날씨
하지만, 바람에 의해 금방 마를만한

그런, 감기 걸리기 좋은 날씨다
바다 향기가 느껴지는 그런 날씨

조금은 더 가까운 구름
내 키만한 담벼락
그 담벼락 너머로 푸르스레 보이는 바다

지난 겨울 다녀온 그 바다마을을 닮았다.
그 계절, 그 바다에서

어떤 시간을 보냈었던가

비록 시간을 되돌리고 싶단 욕심은
있었지만

저 시기까지 돌아가게 된다면 어찌될 것인가
라는 고민을 하지 않았던가

담벼락 너머로 푸르스레 보이는 바다가
그 때의 질문의 답을 줄 수 있을까

강 제변에서

시간을 들이는 일

어쩌면 세상에서
가장 쉬우면서
동시에
가장 어려운 일

내 얼마 남지 않은 열정을
어느 시간에 쏟아 내는 일

세상의 권태에서
조금이나마 나를 되찾는 일

빔 프로젝터

훗카이도를 간 이유

그 시작은 <러브레터> 였다.
매년 겨울이 되면 굳이 되돌려보는 영화가 몇 개 있다.

작년 겨울, 독립을 한 이후에 처음 맞이하는 겨울
독립을 하면 반드시
DVD플레이어와 빔 프로젝터를 사서 좋아하는 영화를 계
속 돌려보겠다라는 다짐

날이 추워지기 시작하자 빔 프로젝터를 연결하고 벽에
그 빛을 쏜다. (DVD플레이어는 올해 샀다.)

조금 더 아날로그 적인 느낌으로 본 <러브레터>의 설경
을 보아버린 그 날.
영화가 다 끝나지도 않은 시점에 비행기 티켓을 검색했
던 기억이 난다.

마침 이직을 결정했던 시기라
크게 고민하지 않을 수 있었다.

그곳에 가면 히로코처럼 눈 밭에서
누워야겠다 다짐하고

신치토세행 비행기 티켓 결제를 클릭했다.

길잃음의 미학

다행히 내려야 할 역에서 제대로 하차했다.
구글맵을 켜볼까 하다가 여행자의 느낌으로 다녀보고싶
단 생각에 가이드북 미리 접어놨던 오타루 지도를 보며
오르골당을 찾아 나섰다.

오르골을 몇 개 담은 후, 커피를 마시기 위해 길을 나서
다 길을 잃었던 것으로 기억된다. 여행의 미학은 길 잃음
의 미학이니 구글맵을 계속해서 보지 않았다.

그렇게 오타루 골목을 돌아다니며 연신 셔터를 눌러댔다.
필름 리로딩이 얼마 남지 않았을 쯤 커피보단 허기를 달
래줄 무언가가 절실해졌다. 가이드북을 꺼내보니 오타루
운하가 머지 않은 것 같았지만 골목을 좀 더 길잃다가
다녀보니 작은 선술집 같은 곳에서 고기 굽는 냄새에 이
끌려 징기스칸을 먹었었다.

홋카이도에서 어린 양고기를 굽는 고기를 징기스칸이라

칭하고 있다라는 걸 가이드북에서 본 기억이 있었다.
굉장히 협소한 가게. 그곳에서 배낭을 내려놓고 입고있던
패딩을 벗고 내려놓으니 내 자리는 더더욱 소소해졌다.

잘 알지도 못하는 일본어와 바디랭귀지로 고기를 굽는
법을 배우고 알차게 먹었다.

끼니를 해결하니 커피 생각이 좀 사라지기에 바로 운하
를 가기로 결정하고, 가게주인에게 SNS 태그를 물어보며
SNS에 해당 가게에서의 한 컷을 업로드하고 운하로 향
했다.

눈 내리는 날씨와는 정반대인 이미 쌓인 눈이 녹을만한
구름이 높은 날씨였다. 운하의 끝자락에 기억이 나지 않
는 지도에 체크해놓은 카페가 있었다.

소화도 할 겸, 오전에 미루었던 커피를 이곳에서 마시리
라 하고 뷰파인더로 운하를 떠나보내었다.

여유로울 여

행복 행

여유가 있어 하는 여행이 아닌,

여유롭기에 여행이니까

이 시간, 이 계절

바야흐로, 국화를 우려야하는 바람이 불어오던 오타루의
길거리. 날이 덥거나 할때는 우려봐야 마시고 싶지 않은
식감

국화차를 우릴 때는 늘, 이 쯤이었다.
바람이 잦은 점이 아닌 면으로 불어오기 시작할 때 쯤
바람의 향이 베어있을 때 쯤

뜨겁고 따뜻한 액체를 넘겨도 되는 시간
위스키랑은 또 다른 향을 목젖을 타고 넘기는,
넘겨도 되는 시간. 국화향 자체가 어울려져 오는 시간.

답답한의 공간에서 스스로를 자학시키다
전혀다른 세상 밖으로 나설 때 온 세상 모든 바람이
내 몸, 피부를 통과하는 기분을 느낄 수 있는 시간

따뜻함을 원하면서도

그 갑갑함 보다는

시원한 바람으로 모든 노폐물을 배설하고 싶은 시간.
그게 내가 이 시간, 이 계절을 기다리는 이유가 아닐까

좌절

누군가 물었다. GPS를 키면 되지 굳이 왜 길을 잃으면서
사진을 찍고 여행을 하느냐고

맞는 말이다. 굉장히 현실적인 말.

그럼에도 사진기를 들고 나서거나 여행을 할 때에는
누군가에게 이 좋은 곳을 보여주고 싶을 때
음악을 들을 때
결제가 필요한 순간
외에는 핸드폰을 잘 꺼내지 않으려고 한다.

편하고자 한다면 여행을 하지 않을테니까
편하고자 한다면 필름으로 사진 하지 않을테니까

불편함에서 오는 그 무언가를 쫓는 삶
그런 삶을 살아가고자 하니까

누군가가 또 말했었다.
비효율적이라고.
나는 대답한다.
그 비효율에서 오는 좌절이 좋다고

좌절하는 그 시간마저 소중했음을
모르지 않으니까

흑백의 설경

올해는 유난히
흑백필름을 로딩하는 일이 많지 않았습니다.

그럼에도 흑백필름을 주문했어요.
이미 책상 서랍 속에는 쌓여있는 몇 롤의 흑백필름이 있
는데도 불구하고 말입니다

저는 사진을 하고 있습니다.
초록이 어울리는 여름을 좋아해요.

일본 특유의 감성
정황하게 설명하기엔 말주변이 부족하지만 그 특유의 감
성을 좋아합니다. 그 특유의 감성에는 왠지 모르게 초록
색이 잘 어울려요.

올 여름 시간이 날때마다 돗자리 하나들고 스피커 하나
들고 마포대교를 자주 넘어 다녔습니다.

한강 나무 아래에서 누워서 그냥 가만히 있고자 해서요.
그 나무 아래에서 들려오는 음에 모든 것을 맡기고
손가락은 셔터를 누르는 것.
그 외에는 아무 일도 하지 않는 것.

그것을 하려고 무난히도 마포대교를 넘어 다녔습니다. 그
리고 그 여름도, 빨강이 어울리는 가을도 다 지나갔네요

이제는 흑백이 어울리는
모든 것을 이분법의 사고로 보고자 하는 그대와 비슷한,
하얀 눈과 그 외에 것들은 모두 검정색으로 표현 가능한,
그런 흑백이 어울리는 시간이 돌아왔습니다.

따듯하다란 말을 가장 많이 할 수 있는 그 시간이요.

잠 못들던 새벽

꿈 속에서 나는 한 사진을 들고 있었어요.
그 사진 위에 눈 몇 송이가

툭
투둑

떨어집니다.
도저히 형용할 수 없는 무게로 말이지요.

겨우 몇 송이의 눈이 참 무겁다라는 것을
꿈 속에서야 깨닫던 새벽

그 어느 날의 새벽은 여름으로 기억 합니다.
다 돌아가버린 선풍기 취침예약 다이얼을 다시 돌리고
다시 누웠던 기억이 있으니까요.

아주 잠시 잠깐 지나간 꿈이었지만

그 새벽 내내 잠을 자지 못했습니다.
기억 속 생각은 끝없는 알고리즘이 돌아가기 시작했으니까요. 알고리즘의 끝은 사진기 스트랩에 달아둔 뱃지에 적어둔 글귀까지 도달 하더라구요.

"The Only thing that can stop time is the Photograph"

전역 하고 얼마 뒤에 달아둔 뱃지
젊은 날의 치기이자, 초심을 잊지 않기 위해 달아둔 글귀

생각 중간과정의 알고리즘은 생각나지 않습니다.
그저 눈송이가 당신을 담은 사진위에 무겁게 떨어진 새벽의 꿈과 어린 날의 글귀가 무슨 연관이 있었을까 하는 생각

꿈 속 사진은 더 이상 현실에 존재하지 않습니다.
끝끝내 사진 속에서도 시간은 흐른다고 알려주는 눈 한 송이의 무게가 사진 한 장의 무게를 가볍게 만들어 주는 그런 새벽 속 이야기입니다.

회자정리 거자필반

자전거를 타며 섬진강을 지났던 지난 여름, 겨울에 이곳에서 흑백의 시선을 담아보고자 생각했고, 올해 겨울 지금 난 섬진강 그 어디인가에 자리하고 있다.

언제나 그랬듯이 강물은 늘 그 자리에 있고
또 언제나 그랬듯이 강물은 늘 내게 답을 주었으니까

인연이란 물음에 답을 얻고 싶어 무작정 구례행 기차표를 티켓팅했다. 섬진강은 내게 어떤 답을 줄 수 있을까

옷깃만 스쳐도 인연이라고 배웠다. 다만, 그 순간의 인연을 진짜 인연으로 만드는 것은 비로소 사람에게 답이 있다고, 오고 가지도 못한 지난날의 마음 속에 담아둔 두 남녀의 고백은 그렇게 잠시 지나가는 인연임을 오늘도 강물 앞에 앉아 아무리 빨라도 늦은 후회만을 쌓고 민박집으로 발길을 향해 걸었다.

평일 오후

어디를 앉아야하나 서성거리다가 평소 궁금했으나 통유리가 보이지 않아 늘 뒷전으로 미뤄둔 자리

오늘도 커피 주문에 앞서 자주앉는 자리를 스캔하는 내게 유난히 그 날따라 그 자리가 눈에 아른거렸다.

가방을 던져놓고 커피를 주문한다.
올 봄에 선물받은 CD플레이어에 챙겨온 오지은의 음반을 넣는다. 창문 너머 습기가 느껴져 고개를 빼꼼.

시각보다 앞선 촉각에 아차싶어 창문을 바라보지만 비는 오지 않는다. 커피가 내려지는 사이. 비가 오지는 않을까 싶어 자리를 옮길까 말까 고민 또 한번 고개 빼꼼

고개만 수십번 빼꼼하다 바리스타의 커피가 도착했다. 마지막 빼꼼. 보인다. 빗소리.
느껴진다 찰나의 습도가

바리스타는 그 사이 또 다른 주문에 곱디 곱게 필터를 접는다. 저 커피가 내려지는 사이 다시한번 고민한다. 자리를 옮길까 말까

저 커피가 다 내려질 즈음에는 어떤 통유리 풍경과 어떤 빗소리와 어떤 습도가 날 기다리고 있을까

바리스타의 손 끝만 바라보다 책 한 페이지도 넘기지 못하고 되돌아 온 날이었다.

시차

그 해 겨울, 이 곳 도화동으로 독립하고 나서의 첫 겨울.
내 첫 독립 집은 구옥으로 구했다. 몇 개의 책장도 두어
야하고, CD와 LP를 보관할 공간에 백패킹 장비까지 별
거 아닌 취미 생활에 드는 맥시멈라이프스타일.
이 집은 제법 서늘했지만, 그래서 당신의 살결의 체온이
좋았다. 마트에서 같이 장을 보고 서로의 양말과 속옷을
가지런히 정리하는 일. 조금이라도 날이 풀리는 날에는
옥수수에탄올을 가득넣어 불멍하는 일. 아침마다 커피 내
리는 향으로 당신을 깨우는 일. 그럼 당신은 부스스한 얼
굴로 눈을 비비며 거실로 나서는 일.

그런 당신을 담고자 사진기를 드는 일
그런 것들만 떠오르는 이 해 겨울.
비록 다른 시차에 사는 우리지만, 그 해 겨울 집은 낡아
추웠지만 낡은 집 덕분에 그리 춥지만은 않았던 겨울.
곧 이 방 창문 사이로 따스한 봄바람이 불어오는 시간이
오면 우리는 서로의 시차를 적응 할 수 있을까

자문자답

오늘은 종일 비가 온다.
한동안 따듯한 겨울이더니 이 비가 내린 후, 주말에 겨울
다운 겨울이 시작될 듯 하다.

이 밤,
따듯하지 않지만 춥지 않은 밤
따듯하지 않지만 춥지 않은 겨울
홀로 춥지 않음에 위로가 되는 겨울이 되었으면

스스로에게 하는 질문
스스로가 하는 답

그 누군가 아무도 춥지 않기 보다는 따듯했으면 싶다.

구례행 티켓을 캔슬하고 춘천으로 발길을 잡았다. 강이
보고 싶어왔는데 추워서 제대로 볼 수 있을지 모르겠다.

우선 남춘천역에 내리자마자 지도앱을 켜 가장 가까운
카페로 왔다.

오는 전철안에서 생각한 걸 마무리 하고 싶은 마음 반
당장 이 추위에서 날 녹여줄 커피의 간절한 마음 반

여행을 위한 이동이 아닌 독서를 위한 이동과정에 대해

카페, 다음으로
아니 어쩌면 카페에서 보다 좀 더 쉽게 책 페이지가 더
잘넘어가는 때가 여행지로의 이동과정 중에 읽는 독서

그 중에서 기차로 이동하는 시간이 가장 좋은 집중의 시
간

결국 또 글과 독서를 핑계삼아 계속해서 놀러 다니고 싶
다는 푸념

모양

커피를 다 마시고 여러 생각을 일기장에 배설해놓고 소양강을 향해 걷기로 했다.

늘 답을 주는 강물도
같은 강에서는 한 물음에 한 가지 답만 주는 듯 하여

자전거를 타며 그저 지나만 간 그 강에 섰다.
오늘은 많은 연인들에게 특별한 토요일
크리스마스 연휴가 있는 토요일이다.

2년 전, 크리스마스에 나는 을왕리에 있었다.
겨울 바다가 보고싶은 마음에 을왕리로 향했었다.

여러 곳에서 크리스마스 트리를 장식하고 그 장식은 겨울바다와도 제법 그 모양새가 어울렸다.

바다 위, 별 모양, 트리 모양..

그 때의 우리와 비슷했다.
각자가 가진 마음을
각자의 모양대로 만 표현하던 우리

나는 별 모양
당신은 트리 모양처럼

함께 있을 때는 그 누구보다 빛나던 트리는 크리스마스
가 끝나자 새해를 준비하는 분위기로 쉽사리 바뀌는 것
처럼 각자의 마음 속 모양과 맞지 않은 채 서로 자신에
게 맞는 모양을 가진 사람을 찾아 나선 우리

쉽지만은 않았지만
서로에게 맞지 않는 모양을 열심히 주장했던
우리의 크리스마스 트리같은

순수했던 크리스마스였다.

초라한 내 말도

볼품없는 내 글도

이렇다할 정의 못할 내 문장도

언제인가에는 책이 될 수 있음을

소망한다.

힙플라스크

겨우 아이젠을 벗어 데크에 도착했다. 선두로 나선 길이 었기에 체크인을 하고 뒤이어 올 사람들을 기다렸다.

한참 기다린 후에야 익숙한 실루엣과 그 외 실루엣들이 눈에 들어오기 시작한다.

우연찮게 당신과 더불어 모임에서 백패킹을 오게 되었다.

당신과 나를 제외한 사람들이 우리의 과거를 아는지 모르는지 나는 도저히 알 수 없었다. 식사자리를 빙자한 술자리가 끝나고 다들 제 침낭이 있는 텐트로 들어간다.

당신과 나만이 화롯대 앞에 남았다.
할 말도 없고 어찌 행동할지도 몰라
애먼 불쏘시개만 제 할 일을 필요이상으로 할 뿐이다.

타닥타닥

집에서 따로 챙겨온 <잭다니엘 싱글 배럴>을 몇 모금
마시자 당신이 오늘 처음으로 내게 말을건다
– 무슨 술이야? 나도 한 잔 줘

멈칫 한다.
내가 아는 당신은 술을 싫어할 뿐 아니라
술을 거의 하지 못한다. 이미 좀 전의 술자리에서 눈이
풀린 당신. 지금 정신줄도 간신히 잡고 있을 당신이다.

– 이거 마시기에는 눈 너무 풀린거 같은데

2년이 지났어도 변하지 않는 눈빛
그 눈은 여전하다.
습관처럼 움츠려들며 술을 나누어 준다

잠시 후 예상했던 반응으로 자지러지는 당신

혹시나 이 불 앞에서 지난 날
못했던, 일기 속에서만 홀로 되뇌었던 말을 할 수 있는
기회라 생각 했었는데

몸을 가누지 못하는 당신을 도와 잠자리에 눕힌다.
조금의 술만 들어가면 유난히 더 붉어진 왼쪽 뺨을 잠시,
아주 잠시 바라보다 남은 장작과 남은 술을 헤아려가며
홀로 밤을 지새운다.

갑자기 내린 눈 몇 송이가 불 앞에서 흔적 없이 사라진

다. 아무렴, 겨우 눈 몇 송이가 이 불 앞에서 어찌 제 생각을 다 밝히며 존재하겠는가.

힙플라스크2.

처음 메어보는 배낭, 앞서 간 그는 보이지도 않는다.

3주전, 사귀던 남자한테 차이고 직장 동료인 언니의 위로와 새로운 취미를 시작하라는 조언에 언니를 따라 캠핑을 하기로 했다. 설경 속 캠핑이야기를 동경하며 난생 처음 백패킹을 한다는 설렘 반, 두려움 반. 캠핑의 캠도 모르는 나는 설경캠핑에 부풀어오른 기대를 안고 장비부터 헐레벌떡 사모았다.

언니의 모임 사람들과 캠핑을 간다는 말을 들었을 때 그만뒀어야했는데

그는 진즉 목적지에 도착하여 벌써 맥주 한 캔을 비운거 같다. 그와 나 , 그리고 언니와 모임장이라는 사람. 내첫 백패킹은 이렇게 아는 사람 몇과 모르는 사람 몇을 동행한 캠핑이다.

캠핑을 좋아했던 그는 술을 좋아했다. 술자리를 좋아하기 보다는 술 그 자체를 즐기는 사람. 그런 그의 마음에 들고자 그토록 싫어하고 마시지 못하는 술을 마셨었다. 그런 나보다 술을 못하는 언니가 있어 다행이라고 생각 할 때 쯤, 역시 언니는 먼저 잠에 빠져버렸다.

모임장이란 사람도 의외로 술을 즐기지 못하는 사람 같았다. 어느새 불쏘시개를 만지는 사람은 그 뿐이었고, 그는 능숙하게 장작을 옮겨가며 불을 일정 크기로 유지하며 불을 쬐었다.

타닥타닥

역시나 그는 술이 부족한 모양이다.
가지고 온 소주와 맥주를 다 비운 후에도
자신의 가방에서 작은 용기를 꺼내 또 다른 술로 이 춥디추운 곳에서 몸을 데우고자 한다.

- 무슨 술이야? 나도 한 잔 줘

사실, 이미 만취다. 바람이 지나갈 때마다 사선으로 내 귀를 할퀴고 지나가기에 추위를 잊고자, 또 홍조를 술 핑계삼기 위해 너무 많이 마셨다. 그럼에도 왜 술을 더 찾았는지는 모르겠다. 그는 나를 한 번 쳐다보더니 무심하게 대답한다.

- 이거 마시기에는 눈 너무 풀린거 같은데

그 무심한 태도에 오기가 생긴다.
잔을 비우고 그에게 잔을 내민다.

그와 사귈때에도
사람들과 캠핑을 하는 지금도
그는 유독 내 술잔에는 남들보다 술을 덜 주곤했다.
그래도 이렇게까지 적게 준 적은 없었는데

그에게 받은 술 한 잔. 이 한 잔은 색깔이 있다. 소맥의
색깔은 아닌거 같고 소주처럼 투명하지도 않고

그 투명한 갈색의 액체는
내 기도를, 내 식도를, 위와 간 십이지장 등
자신의 존재를 확실하게 내 몸 곳곳을 지나가며 뜨겁게
지나간다.

그는 불을 쬐다가 날 바라보며 소리친다
- 야, 그걸 한번에 다 넘기면 어째

온 몸 곳곳 이 액체가 지나감을 느끼고 그의 나무람에서
그의 감정을 느끼고 그렇게 내 첫 캠핑의 밤은 끝났다.

그는 내 얼굴, 특히 왼쪽 **뺨**을 쓰담는걸 좋아했다. 스스
로도 느껴질 만큼 내 두 볼은 지금 새빨갛다. 그 새빨간
뺨을 그가 쓰다듬고, 나는 누워있다.

- 여전하네

그의 목소리와 더불어 언니 목소리

- 야 얼른 일어나!

나는 내 텐트, 내 침낭 속에 고스란히 잠들어 있었다.

텐트를 나와보니 모두 일어나 분주하게 아침을 맞이하고 있다. 그는 설거지를 하고 온 모양이다. 꿈 속에서 보았던 술 한 잔 달라고했던 그 용기와 다른 식기들이 그의 손에 들려있다.

밤새 많은 눈이 내렸다.
전날 밤의 화롯대 주변을 제외한 온 세상이 흰 세상이다. 이렇게 많은 함박눈도 뜨거운 화롯대 주변에는 그 존재를 다 할 수 없는 모양이다. 아무렴, 술을 못하는 나도 그에게 다가갈 수 없는데 한낱 눈쯤이랴

종이비행기

그는 언제나 카메라를 들고 다녔다.
보부상처럼 늘 한 짐 가방을 가지고 다녔고 그 안에는
항상 카메라가 있었다. 오늘도 그는 가방에서 카메라를
꺼낸다. 저번에 본 카메라와는 또 다른 카메라다. 그의
시선을 따라 셔터소리를 듣다 그의 잠기지 않은 가방 속
무언가가 내 시선에 들어온다.

종이비행기

학창시절 접고 놀았던 그 종이비행기. 그에게 묻는다.

- 갑자기 왠 종이비행기야?

그가 대답한다..

- 응? 그냥

그는 가끔 정말로 생뚱맞는 행동, 쌩뚱맞는 말을 한다. 지금이 그렇다. 나이 서른 줄에 종이비행기를 곱게 접어 가방 속에 '그냥'이란 이유로 가지고 다니는 남자

그는 그런 사람이다.
그는 그 종이비행기를 어디를 향해 날리고자 할 것인가?
무엇을 태워 날리고자 할 것인가?

생각은 생각으로 이어지고 이윽고, 셔터소리는 더 이상 들리지 않는다. 내 시선도 아직 날려지지 않은 종이비행기가 날아가는 방향에 있다.

종이비행기2

그 날의 날씨, 그 날의 분위기, 외출의 목적에 따라 가방을 꾸린다. 오고가며 읽은 책 한 권도 골라 가방에 넣고 사진기도 하나 골라 나간다. 그 날의 시선에서만 담을 수 있는 때가 있다.

마지막으로 색종이 한 장을 접어 가방에 챙긴다. 오늘은 당신과 한강에 가기로 했다. 마표대교를 걸어 건너기도 하고 일찍 집을 나선다.

며칠 전, 쏟아진 함박눈에 마포대교는 빙판길이다. 부득이하게 곱게 접은 색종이 하나를 날리지 못하고 지하철 역으로 되돌아 왔다.

당신을 만나러 가는 길
가끔 약속시간보다 일찍나가
홀로 사진기를 드는게 좋았고
홀로 책을 읽는게 좋았고

홀로 종이비행기를 날리는게 좋았다.

하지 못할 말을 곱게 접어 날리곤 하면 당신에 대한 서운함이 같이 날아가곤 했다. 저 멀리서 당신이 다가온다. 당신 또한 시간을 일찍 당겨 온 듯 했다. 우리는 조금 걷기로 하고, 나는 당신의 옆모습·뒷모습을 내 시선으로 사진기에 담았다.

오늘은 이별의 말을 종이비행기에 담아 날리지 못하고 왔으니 어쩌면 지금의 시선이 마지막 한 장이 될지 모르리라는 생각

갑자기 당신이 묻는다.

- 갑자기 왠 종이비행기야?

필름을 갈아끼우며 미처 닫지 않은 가방 속 접은 종이비행기를 보았나보다.

- 응? 그냥

분명 곱디 곱게 접은 종이비행기가 가방 속에서 구겨져 있다. 한강도 얼어붙을 이 날씨에 한 시간이 넘도록 셔터만 눌러대다 끝내 당신 앞에 선다.

당신을 보내고 홀로 온 카페에서 필름을 정리하고, 가지고 온 책을 펼쳤다. 두 남녀가 헤어지고, 남자의 시선에서 이별을 담백하게 담은 그저 그런 소설

부치지 못한 편지

그는 언제나 기다리는 사람이었다.
공원에서 만나기로 하면 항상 먼저 나와 벤치에서 책을
읽거나 글을 쓰며 기다리고 있었고,
카페에서 만나기로 하면 항상 커피와 함께 다이어리를
펼쳐 기다리는 그런 사람이었다.

그래서였을까
그와 만난 지난 1년의 시간 동안 많은 편지를 받았었다.
하고 싶은 말을 하지 못해 늘 글 속에 그 말을 녹여내는
사람. 늘 글 뒤에 숨는 사람

항상 시간약속을 어겨 약속장소에 가더라도 단 한 번 화
를 내지 않던 사람. 서운한 게 있어도 입 밖으로 내지 못
한 사람. 재미 없는 사람.

친구들은 내게 욕을 했다. 요즘 시대에 손편지 써주는 남
자친구 없다고

내 과거의 연애대상은 흔히 말하는 나쁜남자들만 있었다. 그를 처음 봤을 때 궁금한 사람이었지 궁금한 남자는 아니었다. 글과 책 속에 파묻혀 사는 사람. 그의 첫인상이었다.

그런 그를 잊고 잘살아왔다. 아니 애초에 잊으려고 하지도 않았다. 자연스레 지나가는 사람. 그 이상도 그 이하도 아니었으니까

오늘 이사를 준비하며 그에게 받아온 편지 상자를 보기 전까지는

당시에 전혀 이해 못할 단어들의 배열이었던 이 글들은 그가 없는 지금, 편지 한 장 한 장이 문장 하나 하나가 아리게 다가온다. 밤을 세워가며 백 통이 넘는 편지를 다 읽고서야 다시 한 번 무너짐으로서 이삿짐 준비를 마무리 할 수 있었다.

버리고자 할 물건을 한 곳에 모아두고 편지 상자를 그곳에 두었다 옮겼다. 두었다 옮겼다 수 십번을 반복한다.

버릴 수도 그렇다고 새집에 들고 갈 수 없는 그것들을 두고 나도 그에게 편지를 쓰고자 한다. 그의 이유는 늘 단순했다. 쓰고 지우고 또 다시 쓰고 지우고 지금 느끼는 감정을 조금 더 진심을 담아 쓰고싶어 편지를 쓴다던 그

버릴 편지들과 그에게 보낼 편지를 두고 우체국을 향해

간다. 우체국이라고는 일평생 택배를 보내는 수단으로만 여겼지, 편지를 부치러가는 내 모습에 스스로 어색하다. 갑자기 직원들이 어수선 하다. 우표가 다 나가 내일은 되어야 접수를 할 수 있다는 황당한 답변

새로 이사온 집, 내 방 한구석에 그에게 받은 편 지 백통과 그에게 보내지 못한 진심 한 장이 먼지에 쌓여지고 있다.

부치지 못한 편지2

당신은 언제나 늦는 사람이었다.
공원에서 만나기로 하면 항상 뒤늦게 달려오던 당신이었
고, 카페에서 만나기로 하면 항상 두 번째 잔을 시키고
난 후에야 오던 당신이었다.

당신은 외향적인 사람이었다. 커피와 차만 좋아하는 나와
는 달리 술을 좋아했던 당신. 하나부터 열까지 나하고는
정반대인 당신 그래서 더 끌린 당신이었다.

나는 모든 것이 좋았다. 늦게 오더라도 늦게오는 만큼 입
술색은 점점 자기만의 색을 찾아갔고, 유난히 길었던 생
머리와 볼륨도 날마다 다르게 웨이브 주던 당신의 스타
일도 늦는 시간이 길어질수록 다양한 모습으로 그저 이
쁘기만 한 당신이었다. 그래서 늦는다는 이유로 화를 낸
적이 없다. 낼 수 없었다. 그런 사소한 이유로 서운해 하
기에는 늘, 다른 모습으로 이뻤던 당신이니까

오늘은 이런 모습이 이뻤다. 이런 점들은 고마웠다.

하루 하루를 되짚어가며 많은 글들을 써서 당신에게 보냈다. 친구들은 혀를 찬다. 요즘 같은 시대에 참 지극정성이라고. 상관없었다. 내가 느낀 감정들을 최대한 고르고 골라 글로 엮고 싶었으니까

세 통의 편지를 들고 우체국으로 향했던 그 날
가는 길에 당신을 만나 편지를 뒤로 숨기던 그 날
꾸미지 않은 맨 얼굴도 어여쁜 당신에게 갑작스레 이별을 통보 받았던 그 날. 벌써 반년이 지난 그 날.

반년동안 스스로도 놀랄 만큼 술이 많이 늘었다. 술은 마실수록 는다는 당신의 말이 새삼 놀라웠다. 오늘도 몇 잔 마시고 집에 들어왔다. 술도 깰 겸, 음악을 키고 책상에 앉았다. 문득, 아무 생각없이 서랍을 여니 세 통의 편지와 아직 수취인이 정해지지 않은 우표 몇 장이 서랍 속에서 나뒹굴고 있다.

마치면서

누군가에게 위로받고 싶은 마음에 지난날을 되뇌이며 글을 쓰기 시작했습니다. 그 글들은 하나 둘 SNS에 올리기도하고, 아무도 보지 못할 일기장 속에 꽁꽁 숨겨둔 글도 있습니다.

위로란 가식적인 행위라고 생각했던 때가 있었습니다.
누군가의 위로가 너무 거북했고 그 위로 하는 행동 자체에 위선을 느끼던 철없던 지난 날.

지금은 잘 알고 있습니다. 세상 살아가며 내 주변, 아니 주변이 아니더라도 반드시 위로는 필요하다는 것을요.

올 겨울은 유난히 눈도 많이 내리고 춥기까지 합니다.
겨울이니 당연한 것일까요??

가장 추울 때에야 비로소
따뜻하다라는 말을 진심으로 할 수 있음에
가장 아플 때에야 비로소 위로라는 것을 할 수 있음을 깨닫는 겨울
이었습니다. 아니 겨울입니다.

얼굴 모를 누군가에게 받는 위로가 큰 힘이 되었던 지난날의 경험을
바탕으로 나도 누군가에게 위로해줄 수 있는 사람이 되고자 다짐했
던 지난 날. 이 겨울 제 글로 단 한 사람이라도 위로를 받을 수
있다면 크나큰 행복일 것입니다.

가장 쓰라린 계절 가장 따뜻하게 위로받는 하루가 되었으면 합
니다.

-마포 도화동에서 치노 이영재 올립니다-